STAR WARS™

ÉPISODE V

L'EMPIRE CONTRE-ATTAQUE

Il y a bien longtemps,
dans une galaxie lointaine,
très lointaine....

Malgré la destruction de l'Étoile Noire, l'armée Impériale a chassé les Rebelles de leur quartier général, et les poursuit sans relâche. Un groupe de résistants mené par Luke Skywalker a établi une nouvelle base cachée sur Hoth, la planète des glaces. Dark Vador, décidé à retrouver Luke, lance des sondes téléguidées à travers toute la galaxie…

Lors d'une mission de reconnaissance, Luke est attaqué par une bête des neiges ! Perdu en pleine tempête, il entend une voix familière : « Luke, tu vas aller dans le système Dagobah. Là, tu suivras l'enseignement de Yoda. C'est le Maître Jedi qui m'a tout appris. » Heureusement pour Luke, Han Solo le retrouve, et lui sauve la vie…

Soudain, un signal inhabituel est repéré hors de la base. Les Rebelles identifient un droïde sonde de l'Empire. Ils doivent évacuer les lieux immédiatement ! Dark Vador est en chemin avec sa flotte de croiseurs interstellaires, et il sait que Luke se trouve sur Hoth...

L'attaque est lancée par
d'immenses quadripodes de l'Empire.
Ils se dirigent vers la base Rebelle !
Luke et les autres pilotes se ruent
dans leurs vaisseaux ! Ils permettent
à leurs troupes de s'enfuir en tendant
des câbles entres les pattes des
monstres mécaniques afin
de les faire exploser.

À bord de son vaisseau, Luke explique à son ami R2-D2 qu'ils se dirigent vers le système Dagobah. De leur côté, dans le *Faucon Millenium*, Han, Leia et Chewbacca ont des ennuis : ils sont poursuivis par les vaisseaux de l'Empire !

Pour les semer, Han décide de s'enfoncer dans un champ
d'astéroïdes. C'est une manœuvre très dangereuse ! Heureusement,
il parvient à se poser en catastrophe dans une grotte…

De l'autre côté de la galaxie, Luke atterrit sur le sol marécageux de Dagobah. La planète ne ressemble pas du tout à ce qu'il avait imaginé…

—Oh R2, qu'est-ce qu'on est venus faire ici ? J'ai l'impression de faire un cauchemar, dit-il.

Peu de temps après, Luke rencontre une petite créature.

—Je me demande pourquoi tu es là, dit-elle.

—Je viens chercher quelqu'un, répond Luke.

—Yoda. Tu cherches Yoda. Te conduire jusqu'à lui, je puis, ajoute la créature.

Luke décide de la suivre, et dit à son fidèle droïde : « R2, tu restes pour surveiller le camp. »

À bord de son vaisseau, Dark Vador s'agenouille devant l'hologramme de l'Empereur.

—Il y a soudain un grand trouble dans la Force, dit l'Empereur. Le fils de Skywalker ne doit jamais devenir un Jedi.

—Si nous pouvions le convertir, il deviendrait un allié très puissant, répond Dark Vador.

—Est-ce faisable ? demande l'Empereur.

—Il sera notre allié ou il mourra, mon Maître, dit Dark Vador.

Sur Dagobah, Luke découvre que la créature est en réalité Yoda, le Maître Jedi. Le jeune homme doit le convaincre qu'il est prêt à devenir un Chevalier Jedi. Après une longue discussion, Luke commence sa formation. Il s'exerce à manier son sabre laser, augmente sa force et son équilibre, et travaille sa maîtrise de lui-même. Yoda lui répète : « Souviens-toi, l'énergie d'un Jedi vient de la Force. »

Han pilote le *Faucon Millenium* jusqu'à la Cité des Nuages pour effectuer des réparations. C'est le repaire d'un vieil ami, Lando Calrissian… Mais ce dernier les trahit. Dark Vador et le chasseur de primes Boba Fett les attendent !

Sur Dagobah, Luke a une vision : ses amis sont en danger !
Immédiatement, il part à leur secours. Mais on le met en garde…

—C'est toi et tes capacités que l'Empereur veut. Et c'est pourquoi
tes amis sont faits pour souffrir, dit l'apparition d'Obi-Wan Kenobi.

—Seul un Chevalier Jedi parfaitement préparé, avec la Force
comme alliée, peut vaincre Vador et son Empereur, ajoute Yoda.

—Ce garçon est notre dernier espoir, soupire Obi-Wan
en regardant Luke s'en aller.

—Non, il y en a un autre… murmure Yoda.

Au cœur de la Cité des Nuages, Han et Leia apprennent que
c'est Luke que Dark Vador recherche. Ce dernier sait aussi que
le jeune Skywalker est en route…

—C'est un procédé assez rude, mais il va falloir mettre
Skywalker en congélation carbonique pour le transporter jusqu'à
l'Empereur. Nous ferons un essai sur le capitaine Solo, déclare Vador.

Alors que les stormtroopers s'approchent de Han, Chewbacca devient fou de colère.

—La princesse, tu dois prendre bien soin d'elle. Tu as compris Chewie ? intervient Han.

Alors que Han est mené dans la chambre de congélation, Leia lui crie : « Je t'aime. » Quelques secondes plus tard, Han est gelé. Il est en parfaite hibernation.

Alors que le corps congelé de Han est emporté par Boba Fett, le chasseur de primes, Lando libère Chewbacca et la princesse Leia.

—Il y a encore une chance de sauver Han… Il faut aller à la plateforme est… articule Lando tandis que le Wookiee l'étrangle.

Malheureusement, ils arrivent trop tard !

Pendant ce temps, Luke a atterri, et cherche ses amis. Soudain, il est repéré !

—La Force est avec toi, jeune Skywalker. Mais tu n'es pas encore un Jedi, dit Dark Vador en l'attaquant avec son sabre laser.

Luke esquive les coups de son adversaire.

—Ton destin est lié au mien, Skywalker. Obi-Wan t'a bien formé, tu sais contrôler ta peur. Maintenant, libère ta colère. Seule ta haine peut me détruire, déclare Vador.

Les deux combattants se livrent une lutte acharnée ! Dark Vador
utilise ses pouvoirs pour briser tout ce qui l'entoure et le projeter
sur Luke. Celui-ci lance de grands coups de sabre laser pour éviter
les objets volant vers lui ! Soudain, un projectile brise la fenêtre,
et Luke est aspiré dans le vide ! Il tombe sur une plateforme
en contrebas…

De leur côté, Leia et les autres essaient de s'échapper. Les stormtroopers sont à leurs trousses ! Lando fait une annonce :

—Attention, ici Lando Calrissian. Attention, l'Empire prend le contrôle de la cité. Je conseille à tout le monde de partir avant que d'autres troupes Impériales n'arrivent.

Puis, tous se ruent vers le *Faucon Millenium*. Chewbacca prend le contrôle, et fait décoller le vaisseau sous les tirs ennemis !

Pendant ce temps, Luke est acculé sur une passerelle ! Dans un brusque coup de sabre laser, Dark Vador désarme le jeune Jedi. Celui-ci perd son arme et sa main droite dans l'attaque…

—Tu ne peux pas t'échapper. Ne m'oblige pas à te tuer. Sois mon allié, et je terminerai ta formation. Si nous associons nos forces, nous mettrons fin à ce conflit destructeur, et ramènerons l'ordre dans la galaxie, dit Vador.

Dark Vador se penche vers Luke, et ajoute :

—Si seulement tu connaissais le pouvoir du côté obscur. Obi-Wan ne t'a jamais dit ce qui est arrivé à ton père.

—Il m'en a dit assez. Il a dit que vous l'avez tué, répond Luke.

—Non. Je suis ton père, dit Vador.

—Non ! Non ! Ce n'est pas vrai ! C'est impossible, s'écrie le jeune Jedi.

—Luke, tu peux détruire l'Empereur. Tel est ton destin. Sois mon allié, et ensemble, nous pourrons régner sur la galaxie comme père et fils, propose Vador.

Mais Luke lâche prise, et tombe vers l'abyme, loin de son père…
Il fait une longue chute, et atterrit dans une bouche d'aération.
Malheureusement, la trappe de celle-ci s'ouvre, et le jeune Jedi se
retrouve suspendu dans le vide, accroché à une girouette. Luke est piégé !
Il utilise la Force pour demander de l'aide : « Leia. Écoute-moi ! Leia ! »

Dans le *Faucon Millenium*, Leia a soudain une sensation étrange.
Elle dit finalement :

— Luke. Il faut faire demi-tour. Je sais où est Luke !

Chewbacca rebrousse immédiatement chemin. Tandis que
le vaisseau s'approche de Luke, Lando enfile un harnais et ramène
le jeune homme en sécurité.

À bord d'un vaisseau médical, Luke se fait greffer une main mécanique. Leia, elle, regarde Lando et Chewbacca dans la cabine de pilotage du *Faucon Millenium.*

—Princesse, nous trouverons Han. Je vous le promets, dit Lando.

Le jeune Jedi s'approche de Leia tandis que le *Faucon Millenium* s'éloigne dans l'espace.

L'Empire a gagné cette bataille, mais les Rebelles sont certains d'affronter à nouveau leurs ennemis un jour. Et alors, ils se battront pour ramener la liberté dans la galaxie.